A Katharine

Dans la même collection

Le plaisir des mots
Le livre de tous les pays
Le livre de la Bible

1 Le livre des fleurs
2 Le livre de la tour Eiffel
4 Le livre des découvertes et des inventions
5 Le livre de l'hiver
6 Le livre de l'automne
7 Le livre du printemps
8 Le livre de l'été
9 Le livre des marins
10 Le livre de mon chat
11 Le livre de la montagne
12 Le livre du ciel
13 Le livre de tous mes amis
14 Le livre de tous les jours
15 Le livre du cheval
16 Le livre des chansons de France
18 Le livre des premiers hommes
19 Le livre des costumes
(La mode à travers les siècles)
20 Le livre des maisons du monde
21 Le livre des arbres
22 Le livre des oiseaux
23 Le livre des bords de mer
24 Le livre de la langue française
25 Le livre de l'histoire de France
26 Le livre de tous les Français
27 Le livre des trains
28 Le livre de la découverte du monde
29 Le deuxième livre des chansons
(de France et d'ailleurs)
34 De bouche à oreille
(Le livre des images de la langue française)

ISBN 2-07-039503-0
© Éditions Gallimard, 1983
1ᵉʳ dépôt légal: Septembre 1983
Dépôt légal: Juillet 1987
Numéro d'édition: 40938
Imprimé par la Editoriale Libraria en Italie

LE LIVRE DE LA PEINTURE
ET DES PEINTRES

COLLECTION DECOUVERTE CADET

Adrian Sington
Illustrations de
Tony Ross

GALLIMARD

C'est le commencement, le monde est à repeindre,
l'herbe veut être verte, elle a besoin de nos regards ;
les maisons où l'on vit, les routes où l'on marche,
les jardins, les bateaux, les barrières
m'attendent pour entrer dans leur vrai paradis.

Jean Tardieu

D'après
Watteau,
Gilles.

Bonjour,
je m'appelle Gilles

Je suis un personnage très pittoresque. J'aime beaucoup les carnavals des villes du Nord où j'amuse tout le monde par mes pitreries.

Il y a des gens qui me trouvent un peu naïf. Eh bien, je vais vous démontrer le contraire.

Je suis né en 1717 sous le pinceau délicat de mon maître, Antoine Watteau. Depuis, des milliers de visiteurs viennent m'admirer au musée du Louvre. Le dessinateur m'a aidé à m'échapper de mon tableau. Vous verrez qu'excepté quelques vraies reproductions de tableaux, il s'est beaucoup amusé à peindre « à la manière » des grands peintres, pour son plaisir, et pour le vôtre, pour vous donner envie d'aller découvrir vous-mêmes leurs œuvres dans les musées.

La ronde des peintres

Les anciens

Og, l'homme préhistorique (1), devait être un personnage important dans sa tribu : il avait le pouvoir de « capturer » les animaux en les représentant sur les murs des cavernes. Peut-être pensait-il que cela faciliterait le travail des chasseurs.

Etela, le Grec (2), était chargé de décorer les tombeaux des rois. C'était un artisan, sans doute maigrement payé.

Le pauvre Epidaurus, l'Étrusque (3), avait des ennuis avec les autorités. Ses scènes religieuses n'étaient pas toujours du goût de la toute-puissante Église. Parfois même il était condamné à voir brûler ses œuvres. Il ne lui restait plus alors qu'à continuer à peindre en secret.

Les premiers peintres célèbres

Jan Van Eyck (4) fut l'un des premiers peintres vraiment célèbres. Les riches marchands, l'Église, lui passaient souvent des commandes.

1. **Og**. Habitant des grottes de Lascaux.
— 20 000 av. J.-C.

2. **Etela**, Grec.

3. **Epidaurus**, Étrusque.

4. **Van Eyck**, Flamand (1390-1441).

Michel-Ange (5) lui aussi avait une très grande renommée, à l'égal de sa colossale puissance de travail.

Rembrandt (6) eut moins de chance. S'il fut lui aussi célèbre de son vivant, on lui reprocha de prendre trop de liberté avec les règles artistiques de l'époque, et il mourut pauvre.

Géricault (7) mourut très jeune, à 33 ans. Il fut un grand peintre romantique, fasciné par les scènes tragiques.

En haut (8) c'est Manet. Un grand buveur, mais aussi un des grands maîtres de l'impressionnisme qui bouleversa le goût du public.

Le dernier (9) c'est un peintre d'aujourd'hui. Il porte un appareil-photo, car, depuis l'invention de cette boîte à images, le rôle de la peinture n'est plus tout à fait le même.

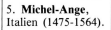

5. **Michel-Ange**, Italien (1475-1564).

6. **Rembrandt**, Hollandais (1606-1669).

7. **Géricault**, Français (1791-1824).

8. **Manet,** Français (1832-1883).

L'art des cavernes

1. Couleurs conservées dans des os.

2. Pinceaux de feuilles et de poils d'animaux.

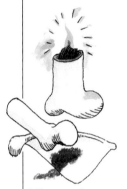

Mixtures de terre, de sang, d'oxydes, de plantes.

Un jour, en 1940, deux enfants se promenaient avec leur chien sur les collines de Lascaux, en Dordogne. Tout à coup, le chien partit ventre à terre et disparut. Ses maîtres se mirent à sa recherche et le retrouvèrent... au fond d'une grotte. Une grotte merveilleuse. Imaginez leur étonnement lorsqu'ils découvrirent sur les parois rocheuses, bisons, taureaux, chevaux, antilopes et cerfs bondissants, bruns, rouges et jaunes, pourchassés par de fines silhouettes d'hommes.

Ils fabriquaient leur peinture

Les peintres de l'âge de pierre (et tous les artistes jusqu'à l'existence des marchands de couleurs) fabriquaient eux-mêmes leur peinture. Ils utilisaient différents ingrédients, de la terre, du sang, dex oxydes minéraux, des jus de plantes, qu'ils transformaient en brun, rouge, jaune ou noir.

Peindre, c'est la merveille !
Peindre la rose avec le sang de
*   l'animal*
Et le soleil
Avec le limon terrestre et le suc du
*   végétal*
Et la chair palpitante
Avec la pierre du gouffre,
L'écaille du poisson, le mercure,
*   le soufre.*

André Salmon

L'histoire du pied

2 000 ans av. J.-C. :
*Tombeau
de Memme*
(Thèbes, Égypte).

1 500 ans av. J.-C. :
*Porteuse
d'offrandes*
(Tiryns, Crète).

Égyptiens et Crétois

Il y a 2 000 ans, les peintres égyptiens représentaient leurs personnages avec deux pieds gauches. De profil, on voyait deux gros orteils. Cinq cents ans plus tard, les peintres crétois découvrirent le petit orteil. Observez les pieds de la porteuse d'offrandes : elle a un pied droit.

Grecs et Romains

Sur le grand vase grec (en bas à droite), décoré 1 000 ans plus tard, on voit pour la première fois un pied représenté de face, celui du soldat. Un pied si bien campé que le soldat peut descendre du vase pour aller admirer sous toutes ses faces un pied romain, sculpté 400 ans plus tard.

Les Égyptiens ne représentaient pas seulement les pieds de profil, mais aussi la tête, les bras et les jambes. L'œil et les épaules étaient montrés de face. Leurs peintures représentent aussi les hommes toujours plus grands et plus bruns que les femmes.

Pour honorer leurs morts

Les peintres égyptiens ne cherchaient pas à faire uniquement de belles œuvres d'art. Leur métier était surtout de décorer le tombeau de leur roi de tous les personnages dont le défunt aurait besoin dans l'au-delà pour le servir : des serviteurs pour lui présenter ses mets préférés, des musiciens, des poètes et des danseurs pour le distraire...

D'où vient notre art ?

L'art des Égyptiens influença l'art des Grecs, qui lui-même servit de modèle à l'art des Romains. On peut dire qu'il représente le début de l'art occidental que nous allons découvrir.

100 ans av. J.-C. :
Statue romaine.

*J'explique
sans les mots
le pas qui fait
la ronde.
J'explique
le pied nu
qu'a le vent effacé.*
Louis Aragon

500 ans av. J.-C. :
Le Départ du guerrier (Grèce).

13

Les enluminures

Dans une peau de mouton, on pouvait obtenir 16 pages de parchemin. On utilisait aussi de la peau de veau, ou « vélin », beaucoup plus fine et destinée aux enluminures très délicates.

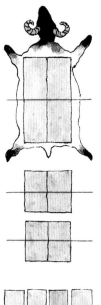

Bien des artistes copièrent les Égyptiens : les Grecs, les Crétois, qui furent eux-mêmes copiés par les Romains. Mais les Romains ne furent jamais copiés. Rome fut anéantie en 455 après Jésus-Christ et les Barbares qui s'y installèrent ne pratiquaient pas l'art de la peinture.

À Rome, les chrétiens formaient une communauté de plus en plus importante et peignaient en cachette. Comme c'était très risqué, ils peignaient leurs images saintes en miniature. Ils fabriquaient des livres, les ornaient de miniatures et les vendaient à d'autres chrétiens qui se cachaient pour les lire. Mais le temps passa, et peu à peu, les artistes purent s'exprimer librement et faire de grands progrès. Des moines, des religieuses, copiaient et enluminaient des énormes bibles sur du parchemin, de la peau de mouton tannée.

Vous voyez ici, au milieu de la pièce, deux religieuses mélanger les couleurs. Celle qui est debout devant son écritoire colorie en rouge la première lettre de chaque page, la lettrine. Moi, je tends une feuille d'or à celle qui va en décorer sa page. C'est très fin, une feuille d'or, et tellement beau pour décorer un livre !

Nous grimpâmes un jour jusqu'à ce livre noir ;
Je ne sais pas comment nous fîmes pour l'avoir,
Mais je me souviens bien que c'était une Bible.

Victor Hugo

15

Les fresques

Dans les églises, les fresques permettaient aux fidèles qui ne savaient pas lire de suivre en images les épisodes de la Bible.
Giotto était un virtuose de la fresque. Très sûr de son pinceau, il n'utilisait jamais de carton. Il peignait directement, sans faire aucune retouche.

En italien, *fresco* veut dire « frais ». La surface sur laquelle les artistes peignaient les fresques devait être fraîche.

Ils traçaient leur dessin à l'aide d'une pointe d'aiguille sur un « carton », passaient sur les trous de la poussière de charbon pour « décal-

D'après **Giotto**, Italien (1267-1337) : *Saint François prêchant les oiseaux.*

1. Sac de poussière de charbon.
2. « Taloche » pour étendre l'enduit sur le mur.
3. Pinceau en poils d'animal.

« quer » leur dessin sur le mur et le recouvraient d'un enduit de chaux et de sable fin. Puis ils peignaient très vite : si l'enduit séchait avant qu'ils n'aient fini, la peinture s'écaillait, ils devaient tout recommencer. Si la peinture était achevée à temps, elle pouvait se conserver des siècles.

17

Les ateliers
et les apprentis

Au XVe siècle, en Italie, la plupart des grands peintres possédaient un atelier avec de nombreux apprentis.

Ils n'avaient souci que d'employer les meilleurs procédés. Leur esprit était tout tendu à préparer l'enduit et à bien broyer les couleurs. Chaque maître avait ses recettes et ses formules, qu'il tenait soigneusement cachées. L'apprenti tâchait de faire comme le maître. Il n'avait d'autre ambition que de lui ressembler...

Anatole France

D'après
Paolo Uccello
(En français :
« Paul des
Oiseaux »),
Italien
(1396-1475) :
La Bataille de San Romano.

Chez Uccello

Dans cet atelier, le maître, c'est Paolo Uccello. Il peint des chefs-d'œuvre, comme ce grand tableau, *La Bataille de San Romano,* où des lances jaillissent en éventail, des cavaliers s'affrontent sur leurs

montures rouges et grises. Un grand tableau (3,20 m × 1,80 m), car Uccello pouvait se faire aider par ses apprentis.

Ici, trois d'entre eux travaillent sur un tableau à trois panneaux, un « triptyque » ; deux autres recouvrent des panneaux d'un enduit et les poncent ; deux apprentis fabriquent des pinceaux, un autre broie des couleurs. D'autres, au fond, s'entraînent à dessiner. Le travail ne manque pas dans l'atelier d'un peintre !

Uccello,
petit garçon,
petit oiseau,
petite
lumière déchirée,
je bénis
ton silence
si bien planté.
                    Antonin Artaud

La peinture à l'huile

Jan Van Eyck,
Flamand
(1385 ?-1441)

*Les Epoux
Arnolfini*
(National Gallery,
Londres).

Détail du miroir

« *Johannes de Eyck fuit hic 1434* »
(Jan Van Eyck était là, 1434). C'est
ainsi que le maître flamand signa son
tableau : *Les Epoux Arnolfini*. Le
maître avait reçu commande de cet
honorable marchand italien vivant en
Flandres pour fixer l'instant de ses
noces. Pour le couple, le tableau
représentait pratiquement un contrat
de mariage. Regardez le miroir : on y
aperçoit non seulement une partie de
la chambre et les époux, mais aussi
deux personnes sur le seuil de la
porte, un jeune homme vêtu de bleu
(le peintre, probablement) et un autre
en rouge. Deux témoins d'une scène
dont les détails sont d'une finesse
presque magique.

*La peinture à l'huile
C'est plus difficile
Mais c'est bien plus beau
Que la peinture à l'eau.*
Chanson

Pour peindre aussi finement, Jan
Van Eyck ne pouvait se contenter de
la détrempe, peinture liée au blanc
d'œuf utilisée alors en Italie et qui
séchait très vite. Il fut un des premiers
à utiliser la peinture à l'huile pour
travailler les détails aussi longtemps
qu'il le désirait. Et il passait des jours
entiers sur la moindre dentelle ou la
fourrure d'une pelisse dont on peut
presque compter les poils !

Jan Van Eyck peignait sur des panneaux de bois, planches de chêne assemblées les unes aux autres, puis recouvertes d'un enduit blanc.

Regardez l'enseigne au-dessous de la porte. C'est celle du charpentier qui débitait les panneaux de bois et les vendait aux peintres. La qualité du bois était très strictement contrôlée, car un tableau peint sur du mauvais bois se détériorait très vite.

Dans un billot de chêne, on ne pouvait utiliser que le centre, très dur. Sinon, le bois pouvait jouer, les panneaux se gondolaient et la peinture s'écaillait.

Jérôme Bosch
Flamand (1450 ?-1516)

A la fin du Moyen Age, à Bois-le-Duc, petite ville de Hollande, vivait un peintre appelé Jérôme Bosch. Il ne faisait pas, comme Van Eyck avant

lui, les portraits des riches marchands de sa ville, mais préférait montrer dans ses tableaux tout ce qu'il imaginait lorsqu'il pensait à l'enfer ou au paradis. Comme son imagination était très riche, ses tableaux d'enfer fourmillent de démons, mi-hommes, mi-animaux, qui tourmentent cruellement les hommes, et ses scènes de paradis, d'anges, de fleurs et de jardins. Le tableau que vous voyez à droite montre un énorme tas de foin que les hommes essayent de s'arracher. Mais une poignée de foin vaut-elle la peine qu'on s'entre-tue ? Tout en haut, Jésus-Christ juge qui ira en enfer (à gauche) ou au paradis.

Avant moi rien ne fut créé
Qui ne soit éternel
et moi je dure éternellement
Vous qui entrez
abandonnez toute espérance

Dante
(*Enfer,* III, 1-9.)

« L'enfer »
Le Chariot de foin
(Prado, Madrid). ▷

La gravure

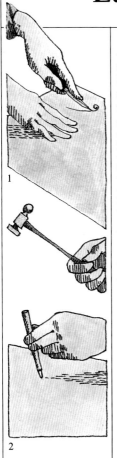

Vers le milieu du XVe siècle, en Allemagne, naissait l'imprimerie. On savait aussi comment imprimer les images : les reproduire par la gravure sur bois. Finis les pénibles voyages à travers l'Europe avec des tableaux encombrants. Les artistes allaient pouvoir faire connaître leurs œuvres plus facilement. Les colporteurs allaient vendre dans les foires ces gravures, images de piété, images populaires, cartes à jouer...

La gravure sur bois (1)

Pour exécuter une gravure sur bois, l'artiste traçait son dessin à l'aide d'un couteau et creusait toute la partie du bois qui n'était pas dessinée. Il enduisait la surface d'encre et appliquait le bois sur une feuille de papier. Le relief de son dessin apparaissait en noir sur la feuille.

La gravure sur cuivre (1)

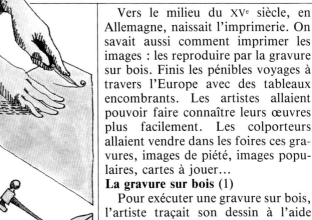

La scène que vous voyez là est inspirée d'une gravure sur cuivre de Dürer. La gravure sur cuivre est le contraire de la gravure sur bois. L'artiste traçait son dessin sur une plaque de cuivre avec une pointe dure : le burin. Il passait de l'encre sur la plaque qu'il nettoyait ensuite avec la paume de la main afin que l'encre ne reste qu'au fond des sillons gravés par le burin. Les sillons s'imprimaient en noir sur la feuille.

D'après
Albrecht Dürer,
Allemand
(1471-1528) :
Saint Eustache.

Saint Eustache, parti à la chasse, s'agenouille en voyant apparaître un cerf miraculeux. Qu'il remonte en selle, pense Dürer, pour aller porter la nouvelle aux artistes d'Italie : un tableau imprimé sur une feuille de papier !

La Renaissance

A partir du XVe siècle, en Italie, on abandonna les idées et les formes de l'art du Moyen Age (rappelez-vous Jérôme Bosch en Flandres), pour revenir à celles de l'Antiquité grecque et romaine. La vision du monde en fut si transformée que l'on a appelé cette période la « Renaissance ».

Les artistes avaient soif de découvertes. Avec les médecins, ils voulaient découvrir les secrets du corps humain, avec les mathématiciens, les lois de la géométrie. Tous furent gagnés par cet enthousiasme : les écrivains et les philosophes, les architectes, les sculpteurs et les peintres, dans les autres pays d'Europe autant qu'en Italie.

1. Dante, poète (1265-1321).
2. Brunelleschi, architecte (1377-1447).
3. Laurent le Magnifique, seigneur de Florence, protecteur des artistes (1449-1492).
4. Michel-Ange, sculpteur, peintre, architecte (1475-1564).
5. ... Gilles.

Le dessin

Crayon

Reportez-vous à la page 40 et essayez de dessiner l'homme à cheval. Est-ce ressemblant ? Maintenant, prenez une feuille de papier calque, tracez-y une grille et placez-la devant l'homme à cheval. Copiez ce que vous voyez dans chaque case sur une feuille de papier. C'est plus facile, maintenant. Ce procédé est souvent employé par les peintres. Comme celui que vous voyez à droite. Cela leur permet de mieux respecter les proportions du modèle.

Technique d'intérieur : le modèle

Avant de décorer leurs manuscrits, les moines, déjà, utilisaient le dessin. Ils traçaient un contour, puis le remplissaient à la peinture. Mais il existe d'autres manières de dessiner. A l'époque de la Renaissance, les artistes cherchaient sans cesse à améliorer leur technique. Ils faisaient poser des modèles (c'est-à-dire des personnes qu'ils payaient) pendant des heures et les dessinaient au crayon, au pastel* ou au fusain*.

Technique d'extérieur : le paysage

Les peintres commençaient aussi à sortir de leurs ateliers pour aller faire des esquisses* de paysages à partir desquelles ils faisaient ensuite un tableau.

Sanguine

(* voir p. 90)

Vous reconnaissez sans doute les deux personnages en bas de la page. Jan Van Eyck (p. 20) faisait souvent des croquis avant de se mettre à peindre, et il notait des numéros qui correspondaient aux couleurs qu'il allait utiliser.

Pourquoi ne pas essayer vous aussi ? Prenez un carnet de croquis et dessinez tout ce que vous voyez autour de vous. C'est ainsi que l'on apprend à dessiner.

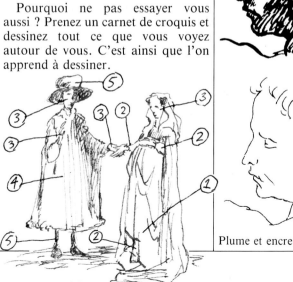

Plume et encre

29

Léonard de Vinci

Italien (1452-1519)

La Joconde
(Louvre, Paris).

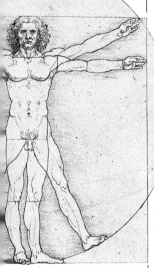

Les proportions de l'homme

Quel est le tableau le plus célèbre du monde ? *La Joconde,* bien sûr ! Et qui l'a peint ? Léonard de Vinci, évidemment. Un chef-d'œuvre qui étonne encore les experts. Ils ont beau observer le tableau au microscope, pas la moindre trace de coups de pinceaux.

Il commença à peindre dans l'atelier de Verrocchio. Un jour, celui-ci s'approcha du tableau que Léonard était en train de terminer, *Le Baptême de Jésus.* Il fut tellement ébloui que, dès ce jour, il abandonna ses pinceaux.

Un homme universel

Léonard était aussi sculpteur, musicien, architecte, ingénieur. Il accompagnait les princes dans leurs voyages et leurs batailles. Il dessina les plans des machines les plus extraordinaires : engins militaires, machines volantes, sous-marins...

Il étudia aussi les mystères du corps humain, et ses dessins firent progresser la médecine. Mais bien souvent, il ne réalisait pas ses projets, comme la statue équestre que le duc de Milan lui avait commandée : d'après ses plans, elle devait être aussi grande qu'une maison !

Joconde
Le voile d'éther bleu te sépare du monde
Et ton sourire aigu, libre et mystérieux
Rend cruellement grâce, ô chère vagabonde,
D'avoir abandonné notre terre et nos cieux. Ch. Maurras

Croquis de bombarde.

Léonard surpasse son maître.

La statue du duc de Milan.

31

La perspective

Un tableau équilibré : les personnages sont répartis harmonieusement.

Les peintres italiens de la Renaissance redécouvrirent l'Antiquité, perfectionnèrent la technique de la perspective. Elle permettait selon des lois très précises de donner une illusion de profondeur aux tableaux. Vous voyez ici Aristote et Platon, les deux philo-

D'après
**Raphaël, Italien
(1483-1520) :**
L'École d'Athènes.

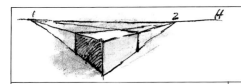

sophes du tableau de Raphaël, représentés sous les traits de Michel-Ange et Léonard de Vinci. L'un se trouve exactement au centre des lignes de construction du tableau. Selon leur distance par rapport au peintre, les personnages ont des tailles différentes : le plus éloigné est le plus petit.

Un tableau déséquilibré : Raphaël n'aurait jamais fait une telle erreur de construction.

Michel-Ange

Italien (1475-1564)

D'après une étude de **Michel-Ange** pour le plafond de la chapelle Sixtine.

Michel-Ange était un grand sculpteur florentin, et comme Léonard de Vinci, il était aussi architecte, ingénieur, poète et, bien sûr, peintre.

Il fut appelé à Rome par le pape Jules II qui lui demanda de décorer la chapelle Sixtine. Michel-Ange entreprit ce travail à contrecœur. Il préférait sculpter plutôt que peindre. Un jour, pourtant, il s'enferma soudainement dans la chapelle et n'en ressortit que quatre ans plus tard. Il avait décidé d'étonner le monde.

Seul, installé sur un échafaudage à 20 mètres du sol, il peignit plus de 300 personnages aux proportions colossales. Pour peindre le plafond, il était obligé de travailler la tête constamment penchée en arrière. Cette position lui était devenue si naturelle que, lorsqu'il recevait une lettre, il ne pouvait la lire qu'en la tenant à bout de bras, la tête renversée.

Michel-Ange et le pape Jules II.

Je sens ma barbe qui part vers le
*   ciel, ma nuque*
Toucher mon dos, mon thorax
*   comme une harpie,*
Et mon pinceau qui dégoutte sur
*   mon visage*
Sans cesse, en fait une superbe
*   mosaïque.*

Michel-Ange

La couleur

1   2

1 + noir   2 + noir

1 + blanc   2 + blanc

Avez-vous déjà essayé de décrire une couleur ? Vous avez sans doute remarqué que l'on est obligé de la comparer à une chose connue de tout le monde, comme le ciel ou un citron. Mais il existe tant de couleurs (les peintres en créent tous les jours grâce à des mélanges subtils) qu'il est bien difficile de leur donner un nom à toutes. Regardez par exemple, page 20, la couleur de la manche de la jeune femme. On pourrait appeler ce bleu, si particulier, le bleu Van Eyck comme il existe le vert Véronèse, du nom du célèbre peintre italien.

Classement des couleurs

Les couleurs sont classées en deux catégories : les couleurs primaires et secondaires, les couleurs chaudes et les couleurs froides. Il existe trois couleurs primaires (1) : le rouge, le bleu et le jaune. Ce sont des couleurs pures. On les obtient sans aucun mélange. Mais pour obtenir du violet, du vert ou de l'orangé, il faut mélanger des couleurs primaires. Ce qui donne les couleurs secondaires (2).

Les couleurs froides sont le bleu et le vert ; les couleurs chaudes, le rouge et le jaune.

Mélangez les couleurs

Prenez votre boîte de peintures et mélangez deux couleurs primaires. Maintenant, ajoutez du noir. Vous

> *Jaune et jaune qui s'apparient, ou jaune et rouge,*
> *azur frais où le rose met un battement d'ailes,*
> *lumières et couleurs bondissent de monde en monde*
> *et se gonflent et déferlent en houle de tendresse.*
>
> Hermann Hesse

remarquerez que le mélange perd de son intensité. Mélangez ensuite ces deux couleurs avec du blanc, cette fois. La couleur paraît alors plus vive. On peut créer ainsi des couleurs brillantes et des couleurs ternes.

Ensuite, il faut savoir harmoniser les couleurs entre elles. Là aussi, il existe des principes, mais c'est aussi beaucoup une question de sensibilité. Savez-vous que le vert à côté du rouge fait paître le rouge plus vif, et le jaune à côté du rouge lui fait perdre son éclat ?

Rouge + vert : le rouge est plus vif.

Rouge + jaune : le rouge est moins vif.

Commande de couleurs du peintre Vincent Van Gogh à son frère Théo :
20 Blanc d'argent, gros tubes.
10 idem blanc de Zinc.
15 Vert Véronèse, doubles tubes.
10 Jaune de Chrome citron.
10 Jaune de Chrome (n° deux).
3 Vermillon.
3 Jaune de Chrome n° trois.
6 Laque géranium, petits tubes nouvellement broyés.
12 Laque ordinaire.
2 Carmin.
4 Bleu de Prusse, petits tubes.
4 Cinabre vert, très clair, petits tubes.
2 Mine orange, petits tubes.
6 Vert émeraude, petits tubes.

Un carré rouge (couleur chaude) à l'intérieur d'un carré vert (couleur froide) : le rouge ressort.

Venise

D'après **Giorgione**, Italien (1475-1510) : *Le Concert champêtre.* ▷

Naissance de la « toile »

Les peintres vénitiens aimaient peindre la couleur et la lumière que reflétait l'eau de leur ville. Mais l'humidité ne leur permettait pas de peindre des fresques comme les autres artistes italiens. Ils ne pouvaient pas non plus utiliser des panneaux de bois, les forêts étant trop rares dans la région. Ce sont eux qui inventèrent la toile tendue sur un cadre.

Les grands Vénitiens

Les plus grands peintres vénitiens de la Renaissance étaient les frères Bellini, Giorgione et Titien. Vous voyez ici Giorgione en train de peindre le *Concert champêtre,* un tableau que vous pouvez aller admirer au Louvre. Il est mort très jeune, frappé par la peste à l'âge de 35 ans, et on n'a conservé de lui que cinq ou six peintures.

De quel royal éclat tu brillais, ô Venise !
Au temps où te peignait Paul Véronèse, assise
Sur un velours d'azur, tenant un sceptre d'or !

A. von Platen

Le Titien
Italien (1490-1576)

Les tableaux représentant des nus (ici *Danaé*) étaient souvent recouverts d'une draperie pour ne pas offenser les dames.

Le Titien apprit à peindre dans l'atelier de Giorgione. Il vécut jusqu'à l'âge de 86 ans, ce qui lui permit de réaliser un grand nombre de tableaux et de dessins. Il était très célèbre de son vivant et les grands personnages de l'époque lui commandaient leurs portraits. L'empereur Charles Quint, que l'on voit ici sur son cheval, était très ami avec le Titien, ce qui attira même la jalousie des autres peintres. « Pour qui Monsieur Titien se prend-il donc ? » disaient-ils ; ou bien : « Vous ne savez pas, l'autre jour le Titien a laissé tomber un pinceau et Sa Très Sainte Excellence s'est baissée pour le ramasser ! »

A gauche : *Charles Quint à cheval* (Prado, Madrid).

Pendant soixante ans, le Titien s'affirma comme le plus grand peintre vénitien. Il peignait avec une aisance remarquable. Bien souvent, il n'avait qu'une vague idée de ce qu'il allait peindre avant de commencer un tableau. Comme il utilisait la peinture à l'huile qui permet toutes les retouches, il ne faisait pratiquement jamais d'esquisse. Les peintres florentins, au contraire, qui peignaient à la détrempe (couleur délayée dans de l'eau additionnée d'un agglutinant : gomme, colle, œuf), étaient obligés, pour peindre d'un seul trait, de préparer très soigneusement leur composition.

Le maître, entouré de ses admirateurs.

Le maniérisme

D'après
Mitelli :
Portrait réversible.

Parmesan, Italien
(1503-1540).
Pontormo, Italien
(1494-1557).
Bronzino, Italien
(1535-1607).

Vous croyez peut-être que je vais tomber du livre ? Erreur, votre œil vous trompe ! Ce n'est qu'un « trompe-l'œil ». Une invention d'artiste.

Avec Léonard de Vinci, Michel-Ange et Raphaël, la Renaissance avait connu cent ans de perfection. Pouvait-on faire mieux ? Trois peintres de Rome, Parmesan, Pontormo et Bronzino décidèrent que oui. Et ils se mirent à copier les grands maîtres, mais en exagérant leur style. Le maniérisme était né. Loin d'aller au plus simple, les pinceaux des peintres s'amusèrent à faire des tours et des détours, bref, bien des manières. Le corps humain subit toutes sortes de transformations, de contorsions, d'élongations, et les visages se mirent à grimacer. Certains personnages se permettaient même de quitter leur tableau !

Regardez ce timbre. Êtes-vous sûr qu'il ne vous fait pas un clin d'œil ? Retournez le livre et vous verrez jusqu'où le maniérisme va se nicher.

Pour entrer dans le gris
je me suis peint en gris
ah ! comme je luis
dans le gris !
Federico Garcia Lorca

Entrez chez lui : la foule des beaux-arts,
Enfants du goût, se montre à vos regards.
De mille mains l'éclatante industrie
De ces dehors orna la symétrie.
L'heureux pinceau, le superbe dessin
Du doux Corrège et du savant Poussin
Sont encadrés dans l'or d'une bordure.
Voltaire

Le Caravage
Italien (1573-1610)

A droite :
*La Mort de la
Vierge Marie*
(Louvre, Paris).

Caravage ne fut pas un peintre
ordinaire. D'abord il était très mauvais
joueur. A la suite d'un duel, il
fut accusé de meurtre et dut se réfugier
dans l'île de Malte. Là-bas, ses
tableaux eurent tant de succès qu'il
eut l'honneur d'être fait chevalier.
Mais il perdit tout le bénéfice de sa
popularité en portant la main sur un
juge. Envoyé en prison, il réussit à
s'enfuir. Rattrapé par des mercenaires,
il reçut une mauvaise blessure et
on le crut mort. Il s'était seulement
enfui sur un bateau. On le rattrapa,
l'emprisonna, mais cette fois-ci par
erreur. Il fut relâché, mais il ne profita
pas longtemps de sa liberté :
lorsqu'il vit partir le bateau sur lequel
il croyait avoir laissé ses bagages et
son matériel de peintre, il entra dans
une telle rage qu'il en fit une attaque.
Il ne devait jamais s'en remettre. Il
n'avait que 37 ans lorsqu'il mourut.

Des peintures en « clair-obscur »

Toutes ces aventures lui laissèrent
pourtant le temps de peindre des
tableaux aux forts contrastes
d'ombre et de lumière. C'est ce qu'on
appelle le *clair-obscur. La Mort de la
Vierge Marie,* que vous voyez ici,
représente les disciples du Christ sous
les traits de simples paysans italiens et
c'est, dit-on, une vraie morte qui servit
de modèle pour la Vierge. Nouveau
scandale !

En mille tableaux je Te vois, Marie,
adorablement peinte ;
Mais nul ne Te saurait montrer
Telle que T'entrevoit mon âme.
Novalis

La nature morte

« Vie silencieuse » : c'est le nom que donnèrent au XVIIe siècle les peintres hollandais pour désigner une composition d'objets ou d'êtres inanimés : compotiers, gobelets, gibier, instruments de musique, fruits, disposés sur une nappe, un coin de table.

Depuis Van Eyck

Van Eyck et Bruegel de Velours étaient passés maîtres dans l'art de la nature morte. Plus tard, au XVIIIe siècle, ce sera Chardin.

Jusqu'à Picasso

Au XIXe siècle, la nature morte inspira beaucoup le peintre Cézanne (voir page 78) et ses célèbres natures mortes aux pommes, puis, au XXe siècle, les cubistes, comme Picasso (voir page 80).

*... le velours pelucheux de la pêche,
la transparence d'ambre du raisin blanc,
le givre du sucre de la prune,
la pourpre humide des fraises,
le grain dru du muscat et sa buée bleuâtre,
les rides et le verruqueux de la peau d'orange...*

Edmond et Jules de Goncourt

D'après une nature morte de Cézanne (1), de Picasso (2).

D'après
Rembrandt,
Hollandais
(1606-1669) :

Portrait de Titus.

Grâce à Rembrandt et à Bruegel, les scènes marquantes de la vie restent fixées pour toujours dans la mémoire ! L'école, d'abord (ce n'est pas mon meilleur souvenir !) : vous voyez ici Titus, le fils de Rembrandt,

Les scènes de la vie

à son pupitre d'écolier. Il paraît que ce garçon espiègle avait horreur de poser pour son père. Il n'acceptait cette corvée qu'à condition d'être dispensé de courses pour la semaine !

Ce tableau-là me rappelle de meilleurs souvenirs : une scène immortalisée par le pinceau de Bruegel en 1567. Vous me voyez là, en compagnie de trois amis, un étudiant, un paysan et un soldat. Quel copieux pique-nique nous avions fait ce jour-là !

D'après **Bruegel**, Flamand (1525 ?-1569) : *le Pays de cocagne.*

Le portrait

Rembrandt,
*La leçon
d'anatomie
du docteur Tulp.*

Rembrandt, maître du portrait

Au XVIIᵉ siècle, en Hollande, les portraits de groupe étaient à la mode. Avec le développement du commerce, les marchands étaient devenus riches. Les corporations, associations de corps de métiers, commandaient souvent à un peintre un portrait de groupe. On voit ici, dans *la Leçon d'anatomie du Dr Tulp* (1631), le médecin expliquer à ses collègues le fonctionnement des muscles du bras. Mais ceux-ci pensent davantage à poser pour le peintre qu'à écouter la leçon du maître ! Vous remarquerez sur ce tableau les contrastes de *clair-obscur*. Il faut se souvenir que Caravage (voir p. 44) utilisait aussi beaucoup cette technique.

Avant l'invention de l'appareil photo, les gens commandaient leur portrait ou celui de leur famille à un peintre.

D'après
*Les Époux
Arnolfini*
de Van Eyck.

J'aime à vous voir en vos cadres ovales,
Portraits jaunis des belles du vieux temps,
Tenant en main des roses un peu pâles,
Comme il convient à des fleurs de cent ans.

Théophile Gautier

Cherchez combien il y a de portraits dans ce livre. Dans un portrait, souvent le visage et les mains suffisent à révéler la personnalité de quelqu'un.

Le peintre anglais Nicholas Hilliard (1547-1618) était spécialisé dans les portraits miniatures qui pouvaient tenir dans un médaillon. Les amoureux pouvaient ainsi porter sur eux l'image de leur bien-aimé(e).

D'après un portrait du XVIIIe s.

Vous me demandez mon portrait,
Mais peint d'après nature ;
Mon cher, il sera bientôt fait,
Quoique en miniature...

Pouchkine

D'après un portrait de Modigliani (1884-1920).

51

L'autoportrait

Rembrandt en train de se peindre, en se regardant dans un miroir.

D'après **Vélasquez** : *Les Ménines.*

Grâce aux autoportraits, nous connaissons le visage des peintres. Beaucoup d'artistes ont fait leurs propres portraits, les uns et les autres pour des raisons diverses.

Le premier tableau à gauche est un des 70 autoportraits de Rembrandt. Il se peignait lui-même pour éviter d'avoir à payer un modèle. Il s'est représenté sous tous les angles, fringant ou mélancolique, et on voit le jeune homme (1) devenir un vieillard (5).

L'autre jeune homme (2), c'est Gustave Courbet (1819-1877).

Rubens (1577-1640) s'est représenté, richement vêtu, en compagnie de sa femme Isabella Brandt (3).

Quand à Vélasquez (1599-1660), il s'est peint en train de peindre. Son tableau *Les Ménines* est à la fois un autoportrait et un portrait de groupe (l'Infante d'Espagne entourée de ses dames de compagnie).

Le portrait suivant (4), c'est celui de Van Gogh. Pourquoi le peintre a-t-il un bandage sur l'oreille ? Van

Gogh était quelqu'un de très solitaire. Une nuit, après s'être querellé avec son ami le peintre Gauguin, il se mutila volontairement l'oreille gauche. Dans cet autoportrait, il nous fait partager toute la profondeur de son désespoir.

Les peintres font leurs portraits à partir de l'image que leur renvoie le miroir. C'est donc une image inversée. L'oreille gauche devient l'oreille droite, comme celle de Van Gogh sur le tableau.

Le portrait suivant (5) est encore de Rembrandt.

1. Rembrandt.
2. Courbet.
3. Rubens.
4. Van Gogh.
5. Rembrandt
6. Anonyme !

Le paysage

D'après, à gauche, un paysage de **Claude Lorrain,** Français (1600-1682) et à droite, d'**Alexander Cozens,** Anglais (1717-1786).
Alexander Cozens créait des paysages à partir de taches d'encre jetées au hasard sur le papier.

Un paysage idéal

« Si tu regardes, disait Léonard de Vinci, quelques murs barbouillés de taches ou les pierres de divers mélanges, tu pourras y voir les ressemblances de divers paysages ornés de montagnes, de fleuves, de pierres, d'arbres, de grandes plaines, de vallées et de collines en diverses manières. » Au XVIIᵉ et XVIIIᵉ siècle, il importait moins aux peintres de planter leurs chevalets dans la campagne que d'imaginer dans leur atelier un paysage idéal à partir d'un croquis ou d'une branche d'arbre rapportée d'une promenade.

Un paysage d'après nature

Peu à peu, les artistes sortirent leurs chevalets pour aller observer de plus près les formes et les couleurs de la nature. Deux siècles séparent les tableaux de Claude Lorrain (à gauche) et de Courbet (ci-dessous). Celui-ci alla peindre sur place les falaises d'Etretat et le public mit beaucoup de temps à les apprécier. Certains dirent même que ses falaises ressemblaient à un morceau de roquefort. Ses successeurs impressionnistes, Monet et Cézanne, eurent aussi beaucoup de mal à faire partager les formes nouvelles de leur sensibilité.

Courbet,
Français
(1819-1877),
la Falaise d'Etretat après l'orage
(Louvre, Paris).

Les frères Le Nain

Les frères
Le Nain
« photographiant »
une famille de
paysans.

Voici les trois frères Le Nain : Antoine, Louis et Mathieu. Des frères inséparables (mais regardez, moi, j'ai la clef !). Ils travaillaient tous les trois dans le même atelier et signaient leurs tableaux de leur nom de famille, ce qui les rend difficiles à identifier. Ils peignaient la vie des paysans de leur siècle (le XVIIᵉ). Leurs tableaux étaient toujours très vivants et pleins de chaleur. On voit ici les paysans qui se précipitent pour admirer la dernière œuvre.

Les « peintres de la réalité »

Les frères Le Nain vivaient à la même époque que Claude Lorrain et, à ce moment-là, il était rare de voir des peintures aussi réalistes. C'est pourquoi on a appelé les frères Le Nain les « peintres de la réalité ». Ils

… *L'éternité rumine et sur les prés heureux*
On marche dans le vert qui court de plaine en plaine
Où des bœufs roux et blancs ont la corne des dieux.

André Sodenkamp

représentaient les paysans dans leurs maisons, dans les champs, comme un photographe aurait pu le faire, le plus simplement du monde.

Ils ont été très aimés, ces trois frères. Puis, brusquement, ils sont tombés dans l'oubli. Depuis peu, on les découvre à nouveau.

Antoine,
Louis
et Mathieu
Le Nain,
Français (XVIIᵉ s.).

57

L'art des tavernes

A

B

C

William Hogarth,
Anglais
(1697-1764).

D'après vous, que représentent ces lignes, à gauche ? C'est un soldat qui passe une porte (A) avec une lance sur l'épaule (B), accompagné de son chien (C).

A cette époque, la plupart des peintres allaient peindre à l'extérieur, mais Hogarth préférait travailler dans son atelier. Il sortait seulement pour faire des croquis. Des croquis très curieux, réduits au strict minimum. Il notait une attitude, un mouvement et rentrait chez lui peindre son tableau.

Ses œuvres les plus célèbres racontent de véritables histoires. Un peu comme l'histoire du Petit Chaperon rouge en peinture qui vous dirait qu'il faut être très prudent en traversant un bois.

Un conteur humoristique

Hogarth racontait dans ses tableaux la vie des gens : des gens qui mangeaient trop, qui buvaient trop, qui dépensaient inconsidérément leur argent. Il les montrait avec humour comme des acteurs d'une pièce pleine de péripéties. Ses tableaux sont très célèbres de nos jours, en Angleterre particulièrement.

Là, je regarde le *Mariage à la mode*. Ce tableau, j'ai tout intérêt à l'apprécier car M. Hogarth entre parfois dans de ces colères !

Être un peintre !... Prendre ses pinceaux le matin...
Avoir besoin du bon, du généreux seigneur
Le Soleil, qui donne leur vie chaude aux couleurs,
Qui allume les doux cheveux et le satin,
Et qui caresse d'or les nuques et les mains...   Charles Vildrac

59

Du rococo au néo-classicisme

David, Français (1748-1825).
Watteau, Français (1684-1721).
Fragonard, Français (1732-1806).

1. **David** (Louvre, Paris), *le Sacre de Napoléon.*
2. **Watteau** (Louvre, Paris), *Gilles.*
3. **Fragonard** (Petit-Palais, Paris), *la Bascule.*

Vous connaissez le Roi-Soleil et son gigantesque palais de Versailles ! Il le fit construire selon le plus pur style classique, inspiré de l'Antiquité. A la mort du roi, la mode des grandeurs passa. Les artistes eurent envie de peindre des tableaux moins classiques, c'est-à-dire plus légers, aux lignes souples, aux couleurs plus claires. Ils voulaient peindre la fraîcheur, la subtilité et l'insouciance. C'est à ce moment que je naquis sous le pinceau spirituel de M. Watteau. C'est à cette époque aussi que Boucher fit un délicieux portrait de la célèbre Mme de Pompadour et que Fragonard peignit des scènes champêtres pleines de fraîcheur et de malice.

Puis le style classique revint à la mode avec le peintre David : on venait de découvrir les ruines romaines de Pompéi et l'Antiquité intéressa de nouveau les artistes : le néo-classicisme était né, et avec lui des œuvres monumentales, comme ce tableau devant lequel je parais tout petit : *le Sacre de Napoléon,* chef-d'œuvre de David.

Avec la majesté
  des ombrages profonds,
Versailles t'a donné
  ses dieux et ses fontaines ;
Venise t'a prêté
  son masque et ses bouffons ;
Henri de Régnier

Watteau, ce carnaval où bien des cœurs illustres,
Comme des papillons, errent en flamboyant,
Décors frais et légers éclairés par des lustres
Qui versent la folie à ce bal tournoyant ;
Charles Baudelaire

La lumière

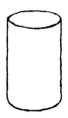

D'après **David**,
Français
(1748-1825),
*le Passage du
Grand-Saint-
Bernard.*

On voit ici Napoléon poser pour *le Passage du Grand-Saint-Bernard* sur un cheval de bois, car un vrai cheval n'aurait pas tenu la pose. David ferait bien de terminer son tableau au plus vite : Napoléon commence à s'impatienter. Et on connaît les célèbres colères de l'empereur. David, dans ce tableau, travaille surtout l'ombre et la lumière, le clair-obscur, comme Rembrandt et Caravage (voir pages 51 et 53). Cette technique permet de donner aux formes davantage de volume. Prenez un crayon et noircissez — on dit « ombrer » — une des faces du cube, de la pyramide ou du cylindre. Vous verrez qu'ils prendront du relief. Maintenant ombrez le papier comme si le volume projetait

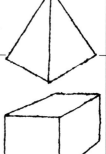

Le peintre est mort
La couleur a perdu son maître
Et la lumière son époux ;
Tant de formes qui pouvaient naître !
                                    Aldré Salmon

son ombre : il se détache alors encore plus nettement de la page.

Peintre de l'histoire

David était un grand peintre. Mais il était aussi très habile pour traverser l'histoire : il soutint d'abord Louis XVI, puis la Révolution et réussit ensuite à être le peintre favori de Napoléon.

L'Académie des Beaux-Arts

David, Français (1748-1825).

Ingres, Français (1780-1867).

D'après **David,**
1. *M. de Sériziat*
2. *Mme de Récamier*
D'après **Ingres,**
3. *Mlle Rivière*
4. *La Source*

Les peintres académiques

David, le peintre officiel de Napoléon, qui glorifiait l'empereur dans de grands tableaux héroïques, eut un élève très appliqué : Jean-Baptiste Ingres. Celui-ci admirait les grandes compositions classiques de son maître et mit toute son énergie à le dépasser dans la perfection. Toute sa vie, il défendit un principe qui consistait à peindre avec la plus grande exactitude le modèle qu'il avait sous les yeux. Les riches personnages de l'Empire commandaient de nombreux tableaux aux deux peintres. Et pour qu'ils puissent enseigner aux jeunes artistes les règles de leur art, ils fondèrent une académie.

Les peintres révolutionnaires

Mais tous les élèves de l'académie n'étaient pas aussi appliqués que Ingres l'aurait voulu. Delacroix et Géricault ne partageaient pas du tout ses idées : pour eux, la peinture, ce n'était pas copier des statues antiques, mais c'était la couleur, le mouvement et l'imagination. Ils furent expulsés de l'académie. Ils eurent bien sûr beaucoup de mal à vendre leurs tableaux, car ils ne correspondaient pas au goût de l'époque, et ils durent attendre bien des années avant d'être enfin reconnus comme de grands peintres.

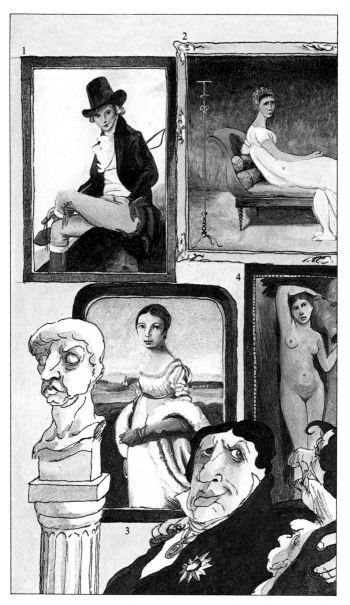

Les radeaux de la « Méduse »

Théodore Géricault fut un des peintres romantiques qui impressionna le plus le public. Il réalisa un tableau monumental (4,91 mètres sur 7,16 mètres) : *le Radeau de la « Méduse »*. Si vous voulez photographier une course de chevaux, par exemple, vous pouvez choisir le début, le milieu ou la fin. C'est la même chose pour un événement historique. Le moment que le peintre choisit de représenter sur sa toile peut vous apprendre beaucoup de choses sur la manière dont il ressent cet événement. Vous verrez sur cette page et la page suivante deux moments, et donc deux interprétations, d'un même événement.

Histoire de la « Méduse »

Le 2 juillet 1816, le vaisseau français *Méduse* fait route vers le Sénégal avec, à son bord, des soldats et des colons. Au large des côtes d'Afrique, le bateau fait naufrage et 149 personnes se retrouvent sur un radeau. Pendant dix jours, ils dérivent, souffrant cruellement de faim et de soif. Ils aperçoivent alors la voile d'un navire et tentent désespérément d'attirer l'attention des passagers (voir page suivante), mais le navire passe sans les voir. Cinq jours plus tard, le même navire, l'*Argus,* les aperçoit enfin. Mais il ne retrouvera que quinze survivants (cette page).

Géricault, Français (1791-1824). Il meurt à 33 ans d'une chute de cheval.

Le Radeau de la « Méduse » (Louvre, Paris).

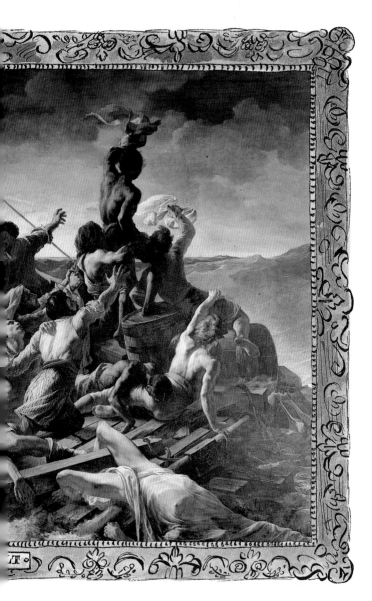

Ce tableau est immense : il mesure 7,16 m sur 4,91 m.

C'était gris, d'un gris trouble qui fuyait sous le regard. La mer, pendant son repos mystérieux et son sommeil, se dissimulait sous les teintes discrètes qui n'ont pas de nom.

Pierre Loti

Turner
Anglais (1775-1851)

« Je voulais montrer à quoi pouvait ressembler ce genre de spectacle. Pour cela, je me suis fait solidement amarrer au mât d'un bateau. Fouetté par la mer et la neige quatre heures durant... C'était le seul moyen, si j'en réchappais, de peindre cette tempête. »

C'est Turner qui parle. Turner, le grand peintre romantique anglais. Il raconte dans quelles conditions il a peint ce tableau. Bien sûr, ligoté à son mât, il était bien incapable de dessiner quoi que ce soit. Mais ce paysage de mer décrit toutes les impressions qu'il a pu ressentir en vivant ce spectacle. C'était une nouvelle manière de montrer la nature. Au long de sa vie, Turner peignit des tableaux de plus en plus « sauvages », tourbillonnant de couleurs et de brume. Mais ils ne plaisaient pas à tout le monde. Turner est mort dans la misère.

Turner faisant un croquis de son père (son père était barbier).

A gauche :
Tourmente de neige en mer (National Gallery, Londres).

Les romantiques et la guerre

On voit ici, côte à côte sur la colline, Gros (1), Goya (2), Delacroix (3) et Géricault (4).

A l'époque du romantisme, l'époque des passions et des héros, la guerre se faisait en immenses batailles rangées. Pour fixer ces moments, chaque armée avait son peintre.

Dans ce genre de guerre, les soldats pouvaient se distinguer au combat et les peintres glorifiaient ces héros. Mais si leurs tableaux exprimaient souvent la gloire, ils montraient aussi la souffrance et la mort.

Et j'ai vu des massacres, et des crucifiements ;
Des batailles, des rois, des regards faux de courtisans.
... J'ai vu des conquérants, des nains et des joueurs,
Des avares, des fous, des pauvres, des esclaves...
Et j'ai pleuré.... André Spire

Vous voyez ici le baron Gros, peintre officiel de Napoléon, en train d'immortaliser l'empereur dans une de ses campagnes. A côté de lui, Francisco Goya trace un tableau beaucoup plus sombre et horrible de la guerre dans *la Fusillade*. Delacroix termine ses célèbres *Massacres de Chio* et Géricault arrive en brandissant le fougueux portrait d'un officier de la garde impériale.

Gros, Français (1771, 1835).

Goya, Espagnol (1746-1828).

Delacroix, Français (1798-1863).

Géricault, Français (1791-1824).

L'aquarelle

L'aquarelle m'a toujours fait rêver ! Les tableaux comme ceux de Turner ou de Constable, mais aussi la technique. C'est une peinture idéale pour aller peindre en plein air ou pour faire des esquisses en voyage. Il suffit d'un très léger matériel : une petite boîte d'aquarelles en godet ou en tube, un pinceau fin pour les détails, un pinceau ventru et quelques feuilles de papier épais.

L'aquarelle permet d'obtenir les effets les plus délicats, des transparences, des couleurs extrêmement pâles en mélangeant très peu de couleurs dans beaucoup d'eau. Mais le meilleur moyen de comprendre ce que l'on peut faire avec l'aquarelle est d'essayer soi-même.

Aquarelle en godet et en tube.

1. Pinceau fin pour les détails.

2. Pinceau « ventru » pour étaler l'eau.

Yvonne sérieuse au visage pâlot
A pris du papier blanc et des couleurs à l'eau
Puis rempli ses godets d'eau claire à la cuisine.
Yvonnette aujourd'hui veut peindre. Elle imagine
De quoi serait capable un peintre de sept ans.
Fera-t-elle un portrait ? Il faudrait trop de temps
Et puis la ressemblance est un point difficile
A saisir, il vaut mieux peindre de l'immobile
Et parmi l'immobile inclus dans sa raison
Yvonnette a fait choix d'une belle maison
Et la peint toute une heure en enfant douce et sage.

Guillaume Apollinaire

Les impressionnistes

1. D'après
Edouard Manet,
Français
(1832-1883),
*Un bar aux
Folies-Bergères.*

2. D'après
**Pierre-Auguste
Renoir**,
Français
(1841-1919),
*Claude Monet
lisant.*

3. D'après
Claude Monet,
Français
(1840-1926),
*Impression,
soleil levant.*

4. D'après
Alfred Sisley,
Anglais
(1839-1899),
*Champ de blé
près d'Argenteuil.*

Quelle horreur ! Je vous passe les autres exclamations, injures et quolibets qui accueillirent, en 1874, la première exposition des peintres impressionnistes. Un journaliste les traita d'« impressionnistes » pour se moquer d'un tableau de Monet intitulé *Impression, soleil levant*. C'est ce qui nous est resté ! Mais si elle était alors synonyme de scandale, cette expression suscita plus tard l'admiration des foules. Petit à petit, après bien des années, le public s'était habitué à cette nouvelle peinture et s'était mis à l'aimer.

J'explique le parfum des formes passagères
J'explique ce qui fait chanter le papier blanc
J'explique ce qui fait qu'une feuille est légère
Et les branches qui sont des bras un peu plus lents

Louis Aragon

Les impressionnistes s'intéressèrent moins à respecter la forme exacte des objets, des personnages qu'ils peignaient, qu'à les *recréer* par la couleur et la lumière.

Eugène Delacroix avait observé la couleur de l'ombre que faisait un objet. Les impressionnistes exagérèrent les couleurs de l'ombre et de la lumière. En regardant de près leurs tableaux, on voit des petites touches de couleur qui vibrent les unes à côté des autres.

5. D'après **Camille Pissaro,** Français (1830-1903), *La gare de Lordship Lane*.

Cézanne

Français (1839-1906)

Cézanne,
Autoportrait.

D'après une des
nombreuses
natures mortes de
Cézanne.

« Avec une pomme, je veux étonner Paris ! » disait Cézanne. On sait combien il aimait à représenter les pommes dans ses natures mortes. A la suite des peintres hollandais, il était, lui aussi, attentif à la « vie silencieuse » des objets familiers. Inlassablement il faisait figurer dans ses natures mortes les mêmes motifs : des pommes bien sûr, mais aussi des oranges, des oignons au milieu d'un pichet à fleurs, d'une statuette en plâtre, d'un vase paillé... Notez que les pommes ont souvent l'air de glisser sur les bords du tableau ! C'est que le peintre nous montre les objets en vue plongeante et parfois de plusieurs points de vue en même temps. Aussi le public était-il étonné devant ces « fruits de guingois dans des poteries saoules ».

Van Gogh

Hollandais (1853-1890)

Les tableaux de Vincent Van Gogh sont éclatants de lumière, une lumière souvent violente qui raconte un travail douloureux. Le peintre avait quitté la Hollande pour Paris où il avait rencontré les peintres impressionnistes. Il fut tellement ébloui par leurs découvertes, qu'il alla s'installer en Provence pour y chercher encore plus de couleurs et de lumière. Toutes ses découvertes, ses enthousiasmes mais aussi ses désespoirs dans sa solitude de peintre, il les écrivait régulièrement à son frère Théo, resté à Paris. Il lui décrivait les tableaux qu'il était en train de peindre, comme celui-ci que vous voyez à droite, *le Chemin aux cyprès* :

Van Gogh, *Autoportrait à l'oreille coupée.*

…Un cyprès avec une étoile…, un ciel de nuit avec une lune sans éclat, à peine le croissant mince émergeant de l'ombre projetée opaque de la terre — une étoile à éclat exagéré, si vous voulez, éclat doux de rose et vert dans le ciel outremer où courent des nuages. En bas, une route bordée de hautes cannes jaunes, derrière lesquelles les basses Alpines bleues, une vieille auberge à fenêtre illuminée orangée, et un très haut cyprès, tout droit, tout sombre.

Vincent Van Gogh se suicida quelques semaines après avoir peint ce tableau.

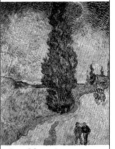

Le Chemin aux cyprès.

Picasso
Espagnol (1881-1973)

Verre de vin

Verre de vin « cubiste »

Pablo Picasso est né en Espagne en 1881. Mais c'est en France qu'il a passé la plus grande partie de sa vie.

Naissance du « cubisme »

Aucun peintre depuis la grande révolution artistique de la Renaissance et la découverte de la perspective n'a autant transformé la peinture. Picasso découvrit une nouvelle manière de représenter des objets à trois dimensions sur une toile. Cette révolution fut appelée le « cubisme », nom donné par les critiques pour se moquer de tableaux qu'ils ne comprenaient pas. Ils ne voyaient que des « cubes » là où Picasso montrait un verre, une maison, un compotier ou une guitare. Car il peignait ces objets sous tous leurs angles à la fois.

Picasso a passé toute sa vie à créer à partir des matériaux les plus divers (d'une selle de vélo et d'un guidon, il faisait une tête de taureau) mais aussi à transformer les principaux styles de la peinture du XXe siècle. Avant le cubisme, il traversa une période « bleue », puis une période « rose ». Mais jamais il ne s'y arrêta. Il lui fallait toujours aller plus loin : « A bas le style, disait-il. Est-ce que Dieu a un style ? » Le portrait de sa petite fille Maya (à droite) a été peint en 1938, un an après *Guernica*. On la voit à la fois de face et de profil.

*Où le pinceau de Picasso a passé
la peinture ne repoussera plus.*

René Guy Cadou

(photo André Villers).

Celui qui fracassa
Un art
  trop compassé
L'œil
  en grain de cassis
C'est
  Monsieur
  Picasso !
Tout l'univers l'a
  su.

André Salmon

Le petit tableau de gauche est un des premiers tableaux de Picasso. Son style était alors influencé par les impressionnistes. Celui de droite, il l'a peint à l'âge de quatre-vingts ans, cinquante ans après la découverte du cubisme.

Parmi ces personnages et ces objets que vous rencontrerez souvent dans les tableaux de Picasso, cherchez le peintre.

Magritte

Belge (1898-1967)

Pour beaucoup d'enfants la montagne peut avoir la forme d'un aigle, pour Magritte aussi. Qui n'a pas vu un verre d'eau sur un parapluie, des bottines en forme de doigts de pied... n'a pas vu de Magritte.

Un petit grain de folie

Les images de Magritte ont toutes leur grain de folie et de liberté. Tout peut se transformer en tout : des femmes en poissons, des oiseaux en feuilles. Les rochers prennent la liberté de flotter au-dessus de l'océan...

« Tout le monde a ses petites idées », disait Magritte. C'est ainsi que nous parle Magritte, en nous choquant, en nous amusant et, derrière ses images, il nous reste à trouver ses « petites idées » mystérieuses.

D'après *Le Fils de l'homme.*

*La fameuse pipe...
Me l'a-t-on assez reprochée !
Et pourtant...
pouvez-vous la bourrer, ma pipe ?*

*Non n'est-ce pas, elle n'est qu'une représentation.
Donc, si j'avais écrit sous mon tableau : « Ceci est une pipe »,
j'aurais menti...*

René Magritte

Ceci n'est pas une pipe.

83

Le pop art

Le pop art est né à New York au début des années 60. Ses sujets ? La publicité, les magazines, la bande dessinée, le cinémascope, le rock'n roll : le paysage quotidien des villes. Comme Magritte et sa fameuse pipe, les pop artistes américains montrent dans leurs tableaux les objets les plus banals. Chacun d'eux est un petit miroir de la société industrielle. Et comme un miroir ne triche pas, il renvoie indifféremment l'image belle ou moins belle que l'artiste a choisi de montrer.
D'après
Andy Warhol
1. *Dick Tracy,*
2. *Elvis,* 3. *Boîtes de soupe Campbell.*
4. D'après
Roy Lichtenstein, *Sweet dreams baby.*

Les signatures

A l'école, vous écrivez votre nom sur vos devoirs pour que la maîtresse puisse les reconnaître. Les peintres font la même chose sur leurs tableaux et se trouvent parfois d'astucieuses signatures. On appelle ces signatures des « monogrammes ». Le peintre Bernardo Daddi (en italien « dé ») représente l'objet dont il porte le nom (1). Albrecht Dürer signe de ses initiales et date ses œuvres (2).

Mais, avant sa signature, on reconnaît un peintre à son style. Les tableaux de Mondrian (1872-1944) sont un équilibre de lignes horizontales et verticales, et de couleurs pures (3). Ceux de Toulouse-Lautrec (1864-1901) ont le style alerte de la caricature (4). Vous en voyez une interprétation sur la couverture de ce livre.

3

1

1 5 2 5

2

Les musées

Les grands musées européens

Paris
Musée du Louvre
Musée d'Art moderne
Musée du Jeu de paume
Centre Pompidou
Londres
National Gallery
Tate Gallery
Madrid
Le Prado
Florence
Les Offices

En Grèce, les déesses des arts s'appelaient les Muses. De là vient le mot « musée », le « temple des Muses ». A Athènes, dans l'Antiquité, il existait déjà des collections publiques regroupant les œuvres des grands artistes. Mais les musées tels que nous les connaissons aujourd'hui ne furent pas redécouverts avant le XIXᵉ siècle. Depuis le Moyen Age, de grandes collections d'art avaient été constituées par l'Église, la noblesse, les riches marchands qui commandaient des tableaux aux peintres de l'époque, mais demeuraient privées.

C'est après la Révolution française, en 1793, qu'un décret ouvrit au public le palais du Louvre et y exposa les collections royales : le musée du Louvre était né, le premier des musées modernes.

Quels musées visiter ?

Un musée n'a pas besoin d'être célèbre pour être intéressant. Avant de découvrir les plus grands musées d'Europe ou de Paris, visitez celui de votre ville, explorez tous ses trésors.

Comment les visiter ?

La peinture, c'est comme la lecture ou la musique : nos goûts, nos curiosités changent, évoluent au gré de nos découvertes. Un jour, vous serez d'humeur à voir d'héroïques scènes de batailles, un jour des tableaux abs-

*Le plancher vibrant du Brera, du Vatican,
des Offices, de l'Académie. Partout, rien qu'eau et ciel
et infini, tout et rien, jubilation jusqu'à l'écœurement.*
György Somlyo

traits. Concentrez-vous sur cette envie du moment. Il vaut mieux voir quelques tableaux avec curiosité que des dizaines juste parce qu'ils se trouvent là. Retournez voir les tableaux que vous connaissez déjà et que vous aimez. A chaque fois, vous les verrez différemment, vous découvrirez de nouveaux détails. Vous apprécierez d'autant mieux d'autres tableaux, même très différents. Et ceux qui peuvent aujourd'hui vous sembler difficiles à comprendre vous dévoileront peu à peu leurs langages secrets.

Venise
L'Académie
Munich
Alte Pinakothek
Bruxelles
*Musées royaux
des Beaux-Arts*

Les peintres dans l'histoire

13 000 ans av. J.-C.
Fresques de Lascaux.

4000 ans av. J.-C.
Apparition de l'écriture.

Vers 2600 av. J.-C.
Construction de la pyramide de Chéops, en Égypte.

52 av. J.-C.
Défaite de Vercingétorix à Alésia.

496 Clovis se convertit au christianisme.

800 Couronnement de Charlemagne.

1270 Mort de saint Louis à Tunis.

Fresques de Giotto.

1431 Jeanne d'Arc brûlée à Rouen.

1450 Naissance de Jérôme Bosch.

1455 Gutenberg invente l'imprimerie.

1471 Naissance de Dürer.

1492 Christophe Colomb découvre l'Amérique.

1509 Raphaël peint *L'École d'Athènes*.

1507 Léonard de Vinci peint *La Joconde*.

Mille ans qu'un peintre a mis dans son tableau
Un jour qui nous tend la main
Le peintre doit être mort
Mais nous voici mille ans de moins

P. Albert-Birot

1512 Michel-Ange termine la décoration de la chapelle Sixtine.

1610 Assassinat de Henri IV.

1629 Les frères Le Nain ouvrent un atelier à Paris.

1631 Rembrandt peint *La Leçon d'anatomie du docteur Tulp.*

1668 Publication des *Fables* de La Fontaine.

Watteau peint *Gilles.*

1715 Mort de Louis XIV.

1756 Naissance de Mozart.

14 juillet 1789 Prise de la Bastille.

1802 Naissance de Victor Hugo.

1804 Beethoven compose *La Symphonie héroïque.*

1805 David peint *Le Sacre de Napoléon.*

1839 Daguerre invente la photographie.

1870 Publication de *Vingt Mille Lieues sous les mers* de Jules Verne.

1874 Monet peint *Impression, soleil levant.*

1906 Picasso peint son premier tableau « cubiste ».

1909 Blériot traverse la Manche en aéroplane.

Le petit lexique
de la peinture

Chevalet
Support en bois, parfois très haut qui permet de maintenir le tableau du peintre.

Couteau
Petite truelle de peintre. Le couteau permet de faire des reliefs, de sculpter la matière épaisse de la peinture à l'huile.

Ébauche
Forme générale d'un tableau que les peintres tracent généralement avant de commencer à peindre.

Esquisse
Ou croquis. Dessin rapide qui pourra être utilisé pour une œuvre plus travaillée.

Estampe
Image imprimée après avoir été gravée sur du bois, du métal (voir page 24) ou sur pierre (voir Lithographie).

Fusain
Arbuste avec lequel on fabrique les *fusains,* petits bâtonnets de charbon de bois utilisés pour le dessin.

Gouache
La gouache est presque appétissante lorsque l'on sait que du miel entre dans sa composition. C'est ce qui la rend pâteuse. Mais n'en mangez pas pour autant ! On y ajoute des pigments pour la couleur, de la gomme et de l'eau. La gouache, comme l'aquarelle, s'utilise avec de l'eau.

Lavis
Dessin « lavé » à l'encre de Chine ou coloré d'encres étendues d'eau.

Lithographie
Dessin gravé sur une pierre calcaire très tendre puis imprimé.

Palette
Plaque de bois ou de faïence, percée d'un trou pour laisser passer le pouce, sur laquelle le peintre mélange ses couleurs. La palette d'un peintre désigne également l'harmonie de couleurs utilisées par un peintre ; exemple : la palette de Rubens.

Papier
Pour le dessin ou la peinture, les artistes utilisent des papiers de différentes épaisseurs (on dit grammages). Du papier fin et lisse

pour les croquis, les esquisses, plus épais pour la gouache et encore plus fort pour l'aquarelle ou la peinture à l'huile.

Pastel
Les crayons pastels sont des bâtonnets de craie tendre aux tons frais et veloutés. Un des plus grands pastellistes, Quentin de La Tour, (1704-1788) est célèbre par ses portraits pleins de douceur et de vivacité.

Pigments
« Poudres » de couleur auxquelles on ajoute divers ingrédients pour fabriquer la peinture. Ces pigments sont extraits de plantes, de minéraux ou de métaux.

Pinceaux
Les pinceaux sont fabriqués avec des soies de porc, des poils de putois, de marte, de blaireau, de petit-gris, d'oreille de bœuf ou de ventre de poney ! Ils sont adaptés à chaque sorte de peinture : carrés à leur extrémité pour la gouache et la peinture à l'huile, effilés, et ventrus afin de bien retenir l'eau, pour l'aquarelle.

Prix de Rome
Le grand prix de Rome, institué en 1664 en France à l'époque des premières académies, récompense tous les ans le chef-d'œuvre d'un peintre, d'un architecte, d'un sculpteur, ou d'un musicien. Le lauréat reçoit une bourse et s'installe à Rome pendant trois ans à la villa Médicis où il peut perfectionner son art à l'abri des soucis matériels.

Sanguine
Crayon pour le dessin, rouge comme la rouille du fer avec laquelle on le fabrique.

Sfumato
En italien, « enfumé ». Modelé vaporeux de certaines peintures, comme *La Joconde* de Léonard de Vinci.

Tubes
Les tubes de peinture métalliques ne datent que de 1840. Autrefois, les peintres conservaient leurs couleurs dans de petites vessies de cuir.

Vernis
Mélange translucide d'huile, de résine, destiné à protéger la peinture des tableaux et à lui donner de l'éclat.

Biographies

Après avoir obtenu son diplôme d'Histoire de l'art à Londres, **Adrian Sington** a travaillé dans une librairie, puis dans l'édition. Il est l'auteur de plusieurs livres pour enfants, ayant pour thèmes les civilisations anciennes, l'histoire de l'art et l'architecture.

Tony Ross est un des illustrateurs anglais les plus connus. Il dirige une école d'illustration et, comme beaucoup d'artistes professionnels, il s'exerce à peindre "à la manière de", non pas pour le plaisir d'être un faussaire, mais pour perfectionner sa technique et rendre hommage aux peintres qu'il admire.

Table des reproductions

20. *Les Époux Arnolfini,* Jan Van Eyck (Cliché National Gallery). **22-23.** *Le Chariot de foin,* Jérôme Bosch (Cliché Musée du Prado). **30-31.** *La Joconde,* Léonard de Vinci (Cliché Musées Nationaux, Paris). *Les Proportions de l'homme, Croquis de bombarde* (Photo di Mazzo). **40.** *Charles Quint à cheval,* Le Titien (Cliché Musée du Prado). **44.** *La Mort de la Vierge Marie,* Le Caravage (Cliché Musées Nationaux, Paris). **50.** *La Leçon d'anatomie du Dr Tulp,* Rembrandt (Cliché Musée Mauritshuis, La Haye). **53.** *Autoportrait,* Rembrandt (British Museum, Londres). *L'Homme à la ceinture de cuir,* Courbet (Cliché Musées Nationaux, Paris). *Autoportrait avec Isabella Brandt,* Rubens (Photo Giraudon). *Autoportrait à l'oreille coupée,* Van Gogh (Cliché Courtauld Collection). *L'Artiste au chevalet,* Rembrandt (Cliché Musées Nationaux, Paris). **55.** *La Falaise d'Étretat après l'orage,* Courbet (Cliché Musées Nationaux, Paris). **61.** *Le Sacre de Napoléon,* David (Cliché Musées Nationaux, Paris). *Gilles,* Watteau (Cliché Musées Nationaux, Paris). *La Bascule,* École de Fragonard (Photo Giraudon). **68-69.** *Le Radeau de la «Méduse»,* Géricault (Cliché Musées Nationaux, Paris). **70.** *Tourmente de neige en mer,* Turner (Cliché National Gallery). **78.** *Autoportrait,* Cézanne (Photo Giraudon). **79.** *Autoportrait à l'oreille coupée,* Van Gogh (Photo Giraudon). *Le Chemin aux cyprès,* Van Gogh (Rüksmuseum, Otterlo). **81.** *Maya à la poupée,* Picasso (Photo Edimedia, Paris). **82.** *Picasso* (Photo André Villers).

Table des poèmes

6. Jean Tardieu, «Henri Rousseau le douanier» (*À l'Octroi du point du jour*). **10.** André Salmon (*Carreaux,* Gallimard, 1928). **13.** Louis Aragon, «Matisse parle» (*Le Nouveau Crève-Coeur,* Gallimard, 1948). **15.** Victor Hugo. «Aux Feuillantines» (*Les Contemplations,* 1856). **19.** Antonin Artaud (*La Révolution surréaliste n°. 8,* 1926). **22.** Dante, «L'Inscription sur la porte de l'Enfer» (*La Divine Comédie,* Enfer III, 1-9). **31.** Charles Maurras, «Joconde» (*La Musique intérieure,* 1925). **34.** Michel-Ange, «La Torture du peintre en peignant la voûte de la Chapelle Sixtine» (*Sonnets,* Trad. Armand Monjo). **37.** Hermann Hesse, «Joie de peindre» (*Anthologie de la poésie Allemande,* R. Lasne, Stock). Van Gogh (*Lettres à son frère Théo,* 1953). **39.** A. Von Platen (*Sonnets de Venise,* 1828). **43.** Federico Garcia Lorca, «Chanson chantée» (*Poésies II,* Gallimard, 1955). Voltaire («*Le Mondain»,* 1736). **44.** Novalis (*Oeuvres complètes,* Gallimard, 1975). **47.** Edmond et Jules de Goncourt (*L'Art du XVIIIᵉ s.,* Charpentier, 1875). **50.** Pouchkine, «Mon portrait» (*Oeuvres complètes*). **51.** Théophile Gautier, «Pastel» (*Émaux et Camées,* 1852). **53.** Jacques Prévert, «La Complainte de Vincent» (*Paroles,* Gallimard, 1946). **54.** Pierre de Ronsard (*Les Amours,* 1552). **57.** Andrée Sodenkamp, «L'Eté» (*Choix,* André de Rache, Ed., 1980). **59.** Charles Vildrac (*Livre d'amour,* Seghers, 1959). **60.** Charles Baudelaire, «Les Phares» (*Les Fleurs du mal,* 1957). **61.** Henri de Régnier, «Watteau» (*La Sandale ailée,* Mercure de France, 1925). **63.** André Salmon (*Carreaux,* Gallimard, 1928). **70.** Pierre Loti, «Brume d'Islande» (*Les Pêcheurs d'Islande,* Calmann-Lévy). **73.** André Spire, «Au musée» (*Versets*). **75.** Guillaume Apollinaire, «Aquarelliste» (*Poèmes à Lou,* Gallimard, 1957). **79.** Vincent Van Gogh (*Lettres à son frère Théo,* 1953). **81.** André Salmon, «El Malagueno» (*Vocalises,* Seghers, 1959). **83.** René Magritte (Propos recueillis par Claude Vial, *Femmes d'Aujourd'hui,* 6 juil. 1966). **87.** György Solyo, «Fable du Musée» (*Contrefables,* Version française de Guillevic, 1974). **89.** P. Albert-Birot (*110 Gouttes de poésie,* Seghers, 1952).

Nous remercions Messieurs les Auteurs, Editeurs, Musées, Galeries, Collections particulières, Agences qui nous ont autorisés à reproduire textes ou fragments de textes, tableaux et photographies dont ils gardent l'entier copyright (texte original ou traduction, ekta, cliché). Nous avons par ailleurs, en vain, recherché héritiers ou éditeurs. Leurs œuvres ne sont pas tombées dans le domaine public. Un compte leur est ouvert à nos éditions.